STAGE. 13
실버 스타.
약 반년 간에 걸친 우주 훈련, 그리고 톱 선발 시험을 치르느라 고생들 많았네.
선발 과정도 무사히 종료되었고, 지금 여기에 모인 자네들은 이제부터 머신 파일럿의 정예부대
'톱' 으로서.
인류 존망의 운명을 건 일대 결전의 도화선이 되어
사자분신의 활약을 펼쳐 주리라 기대하지.
또한 현재 우리는 또 하나의 강대한 힘을 손에 넣게 되었으니,
그것이 바로 —

제4세대
항주함
(航宙艦)
EXELION
STAGE 13
톱을 노려라!
GunBuster
만화 Kabotya 원작 GAINAX

얼마 전, 관숙 항행을 마치고
제1함대의 기함으로 실전에 배치되는
엑셀리온 이다!
이 엑셀리온과 톱 부대, 두 가지 힘으로
우리는 인류의 위협을 제거할 것이다.

CONTENTS

지구로부터
약 10광년—
엑셀리온
함대.

지금부터
우리
함대는
페르세우스
방면
리프64로
항로를
잡는다.
정시
워프
개시.
DFCN5A

비번인
인원은
각자 방에서
대기하도록.
전방
0.5파섹의
가속 공간을
확보.
메인
부스터
이상
없음.

기함을
비롯,
각함 모두
이상 없음.
언제라도
워프
가능합니다.

좋아.
전 전함,
워프.
두왁
끼이이잉
파
슈웅
No.86
K.Amano
고오오오

코치님, 드릴 말씀이 있습니다.
뭐냐?
노리코에 관한 얘기입니다.

…그 아이는 요 몇 개월간 놀랄 만한 속도로 성장했습니다.
하지만 그런 반면, 노리코의 약점 역시 드러나게 되었죠.
그 아이는 기술이나 체력, 열의에 비해 멘탈이 너무나도 약해요.
만약 이 상태로 실전에 돌입한다면 틀림없이 죽게 될 겁니다.

지금 이대로는 도저히 전장에 내세울 수 없어요.
그러니 당분간은 기지 안에서 훈련을 통해 정신적인 측면을 강화해야 한다고 생각합니다.

안 돼. 허락할 수 없다.
그런 건 경험을 통해 자연히 습득하는 법이다.
그렇지만 코치님. 파트너인 제가 싸울 수 없으면—
아마노.
우리에게는 시간이 없다.
타카야는 실전을 통해 성장해나가는 수밖에 없어.

내가 할 말은 이상이다. 물러가도록.
예…? 코치님!!

…역시 내가 어떻게든 하는 수밖에—.

키미코… 잘 지내고 있니?

나는 지금
엑셀리온을 타고
은하수 속을
달리고 있어.

있지,
나 언니랑
페어로
톱에
선발됐다?
그리고
아빠가 탔던
배도
만났어….

그 밖에도
여기서
만나게 된
친구들
얘기랑
다른 얘기도
잔뜩 하고 싶은데,
지금은 너무 멀리
떨어져서
전화도 메일도
닿지를 않네.

그러니까—
마음속
목소리를
보낼게.

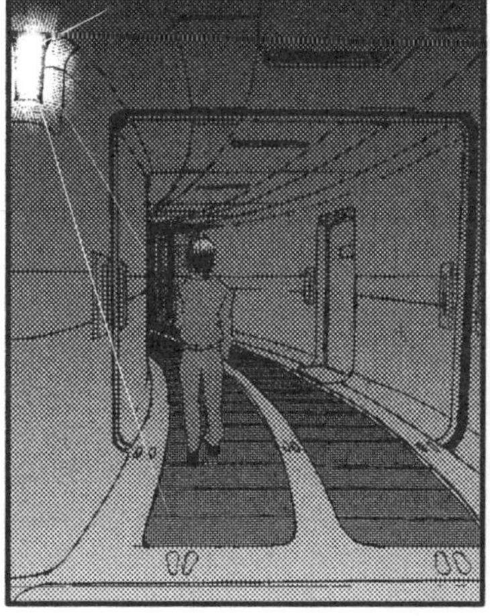

위이이잉

왜
이렇게…
늦어~~
~~?!
벌
끈

워프가
시작되면
곧장
이 방으로
모이라고
했잖아!!
생각 좀
하느라,
그만….
변명은
듣기
싫어.
잠깐….
죄…
죄송해요!
남의 방에서
너무
소란 피우지
말아주겠어?
아니 그보다,
왜 내 방에서
모이는 건데?

너 정말 ….
이렇게라도 안 하면 네가 참가하지 않을 것 아냐.

애초에 워프 중에는 자기 방에서 대기하는 게 원칙이잖아.
코치님에게 들켜도 난 몰라.

과연, 우등생님께서는 하는 말도 다르다니까.

혹시 그게 아니면

선발 성적으로는 우리한테 안 되니까
그런 면에서 점수 좀 따보려고 생각 중이려나?

바보 같은 소릴….
애초에 처음부터 반년 간의 훈련량 차이가 있었잖아.

어머나, 역시 분한가 보네. 하지만, 졌다고 억지 쓰는 건 보기 안 좋아.
여기서는 결과가 전부니까.
…….

아니면,
여기서 직접 결판을
내보고 싶어?
난 그래도
상관없는데 말야.
어때,
장미의
여왕님?

그만 좀
못 하니?
흐갸악!
촤악
너흰 왜
만나기만 하면…
사이가 좋은 건지
나쁜 건지, 원….
사이가 좋
기는개뿔!!
을리가 없잖아!!

호흡도
딱 맞네,
뭐.
아,
저기…
그래서

이름하여,
엑셀리온의
감춰진
비밀을
찾아라.
어머나,
저 예쁜
아이가
사실은
귀신?!
한밤중의
밀회―.

오늘은
뭘 하려는
건가요?
아, 맞다….
슬슬 본론으로
들어가야겠지.

방에서
대기나 하면서
시간을 보내긴
지루하잖아?
그래서
내가
지루함을
타파할
묘안을
떠올렸지―.

어때?!
다…
담력…?
담력 테스트가
하고 싶대.
맞아….
그것도
워프 공간
안에서.

영계와 아공간이 이어지면서ㅡ
죽은 사람의 유령이 나온대…!!
흐늘 흐늘
예? 갑자기… 무슨…?
~~~~ ~~~~ ~읏.
…자, 그럼 시간도 없겠다. 어서 출발하자.
다들 제비를 뽑아.
당첨 제비를 뽑은 사람은 머리띠를 격납고에 묶어놓고 오기다?
아… 아뇨, 전 귀신이나 그런 거 진짜 싫어하거든요….
…….
~~~~

좌현 제2격납고
제7거주구
ㅇㅇ…,
"당첨"
어쩐지…
이렇게 될 것 같더라….
히익!
불 꺼진 격납고는 왜 이렇게 무서운 걸까….
파앗…
일렁

으에에
에에….
흐릿
나…
나나나나…
나왔다
아아아
아아아
아아
~~.
납작
여.
너희도
담력
테스트냐?
야, 야.
사람을 무슨
귀신이라도
본 것처럼.
상처 받게
말이야.
…?

—…앗,
넌…
그때 그
성추행남…!
참 나…
이번엔
또 범죄자
취급이냐?
나한테는
스미스
토렌이라는
이름이
있거든?
어쩌
라고?
능글
능글
다
자업자득
이지,
뭐.
HA HA HA
아니,
어느 부분이
성장기인가
궁금해져서.
나이스 조크.
너 그거
완전히
성추행인 거
알아?!
타카야.
고작 이 정도로
주저앉은 너도
볼 만한데, 뭘.
콱!!
정말이지,
우주의
전사로서
부끄럽지도
않나.
…흐응.

미…
미끄러진
거야!
아, 그러서?
그래도 뭐…

오줌은
안 싸서
다행이네.
화끈

저질!!
뭐 이런
놈이 다
있담?
믿을 수가
없어!!
팔랑
팔랑

앗!!
도…
돌려줘!
내 머리띠란
말야!

얍.

하하하, 무리하지 마.
어차피 저기에 묶으면 되는 거잖아?
여기까지 온 김에 내가 해줄 테니까.
캉
캉 캉
뭐야…?
왜… 왜 저래…?
그건 그렇고, 유령이 그렇게 무섭나?
나는 그딴 것보다도
코치가 훨씬 더 무섭던데.
자… 됐다.

워프 중에는
제1종 경계
대기다.
알고 있나?

네…
네에….

으어어
아아아
아아아
아앗!!

…그렇다면,

어서 방으로 돌아가지 못해?!
네헤에에에에에에에엑.

타카야! 너도 마찬가지야!
아… 네엣!!

설 수 있겠어?
다… 당연하지!

…….

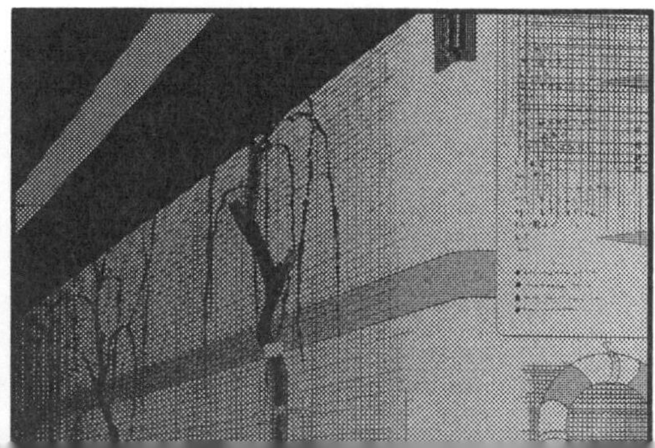

No.86
K.Amano

룩시온 일을 떨쳐내 주려고 이것저것 시도해 봤지만…
노린 대로, 노리코가 가줬네….

당첨
당첨
PRIZE
어제 보니까 표정도 누그러지고
이제야 평소대로 돌아온 것 같아.

…그러게.

룩시온 일은 딛고 일어섰어….
이제 슬슬 노리코에게도 말할 때가 온 건가….

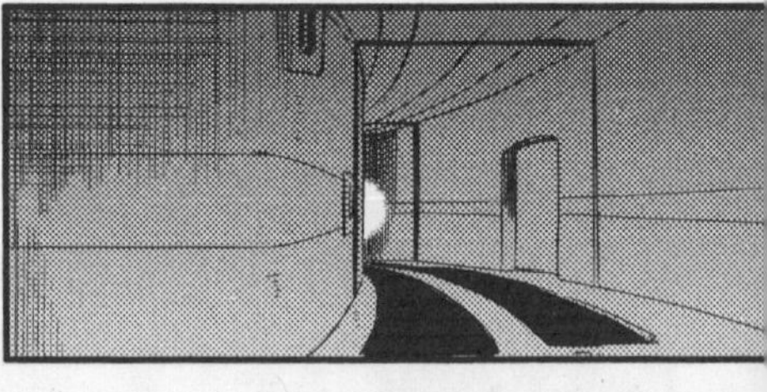

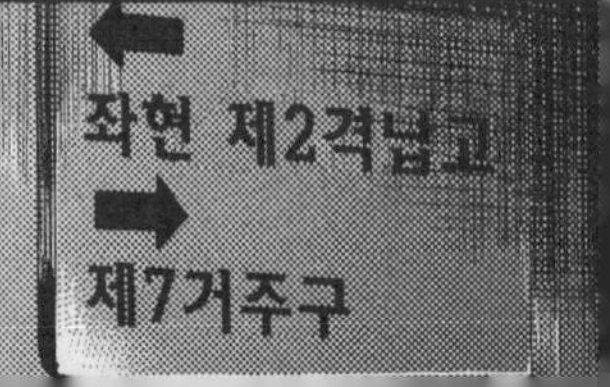
좌현 제2격납고
제7거주구

뭐야, 진짜—
저 성추행남만 없었어도 훨씬 빨리 끝났을 텐데….

다녀 왔습니다.
아, 어서 와! 어땠어?
진짜… 무서웠어요.
마지막에는 선글라스 낀 귀신까지 나와서….
무셔!
시끌벅적
…….
노리코.
예?
너에게 긴히 할 얘기가 있으니까,
명심하고 들어 줬으면 해.
왜 그래? 무서운 얼굴을 하고선.
두근
예? 아… 네….

지난번 조사 출발하기 전에
나와 했던 약속을 기억하고 있니?

예? …아… 저어….
분명히 말했지?
절대 무모한 짓은 하지 않겠다고.

그렇지만 너는 나와의 약속을 깨고 제멋대로 행동했어.

실전에서 그런 짓을 했다가는 어떤 상황이 벌어질지 생각해봐.
같은 편에게도 막대한 피해가 생기겠지?
…언니….
자기 자신도 주체 못 하는 사람은 머신도 주체하지 못해.

애, 카즈미. 뜬금없이 무슨 소릴….
기껏 트라우마를 떨쳐내나 싶었는데…!
잠자코 있어, 융.

그게 불가능 하다면…

나는
너와의
페어를
해산하겠어.

?!!

그…
그걸
지금
농담
이라고
해?
하나도
안 웃기거든…?

내가
지금
농담하는
걸로
보여?
어디까지나
진심이야.

어…
언니…?

자판기 코너
소바 우동
아이스크림
고장

소바 우동

쓰레기는 쓰레기통에
—언니….

응?

뭐야,
또 너냐?
왜,
배라도
아파?

아니면,
코치한테
혼난 게
그렇게나
무서웠어?

…….
하기야
뭐…

어마어마한
박력이었
으니까.

언니…!
…….

긁적 긁적

뭐라도
마실래?

야, 대답 좀 해.
…필요 없어.
아, 그래.
삑
덜커덩
털썩
쓰레기는 쓰레기통에
거주구역 자치회
나는 너와의 페어를 해산하겠어.
언니가 날 미워하셔…,
나는… 어떻게 해야…,

…그래서,
무슨 일이 있었길래 그래?

…….
차닥
히약?!!

혼자서 끙끙거려봤자 해결되는 건 아무것도 없잖아.

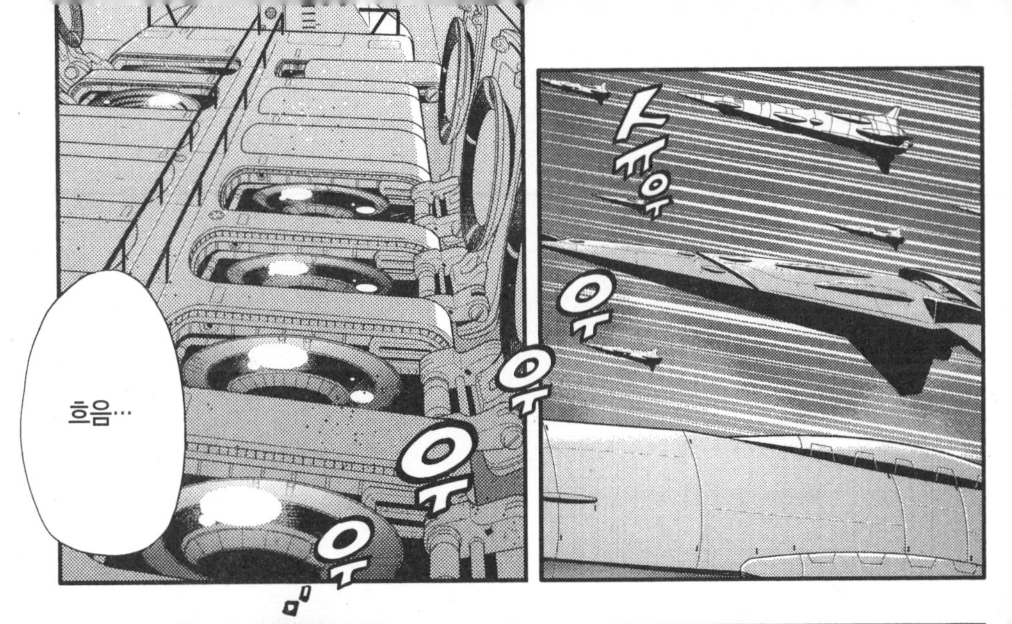

슈우우우우우우…
흐음…

그랬구나.
미숙한 내가 잘못이라는 건 알아…. 그렇지만…

나한테는 언니 밖에….

…그런데 그건 다시 말해서,

네가 정신력을 갈고 닦으면
그 언니라는 사람도 다시 너랑 페어를 짜주겠다는 소리 아냐?

너,
나랑 페어를
짜지 않을래?

너 나
싫어하잖아?
어?
아…
으응….

그런데
나와
페어를 짜서
안정적인
성적을
낸다면?

무…
무슨 소리야?
나는 언니랑—.
안다니까.
임시야,
임시 페어.

그건 또
무슨….
생각
해봐.

정신적인 스트레스를
받는 와중에도
평소와 같은 힘을
발휘할 수 있다—.
다시 말해,
그 언니라는
사람에게
너의 정신적인 성장을
증명하는 것
아니겠어?

마침 나는
싱글이고
흥미도
있으니
협력해줄게.

어쩔래?

이 사람
말도
일리는
있어….
…더구나
지금
나에게는
다른
선택지도
없잖아─.

…지켜봐
주세요,
언니.
알았어.
저 혼자서도
해내겠
습니다─.
NEXT STAGE

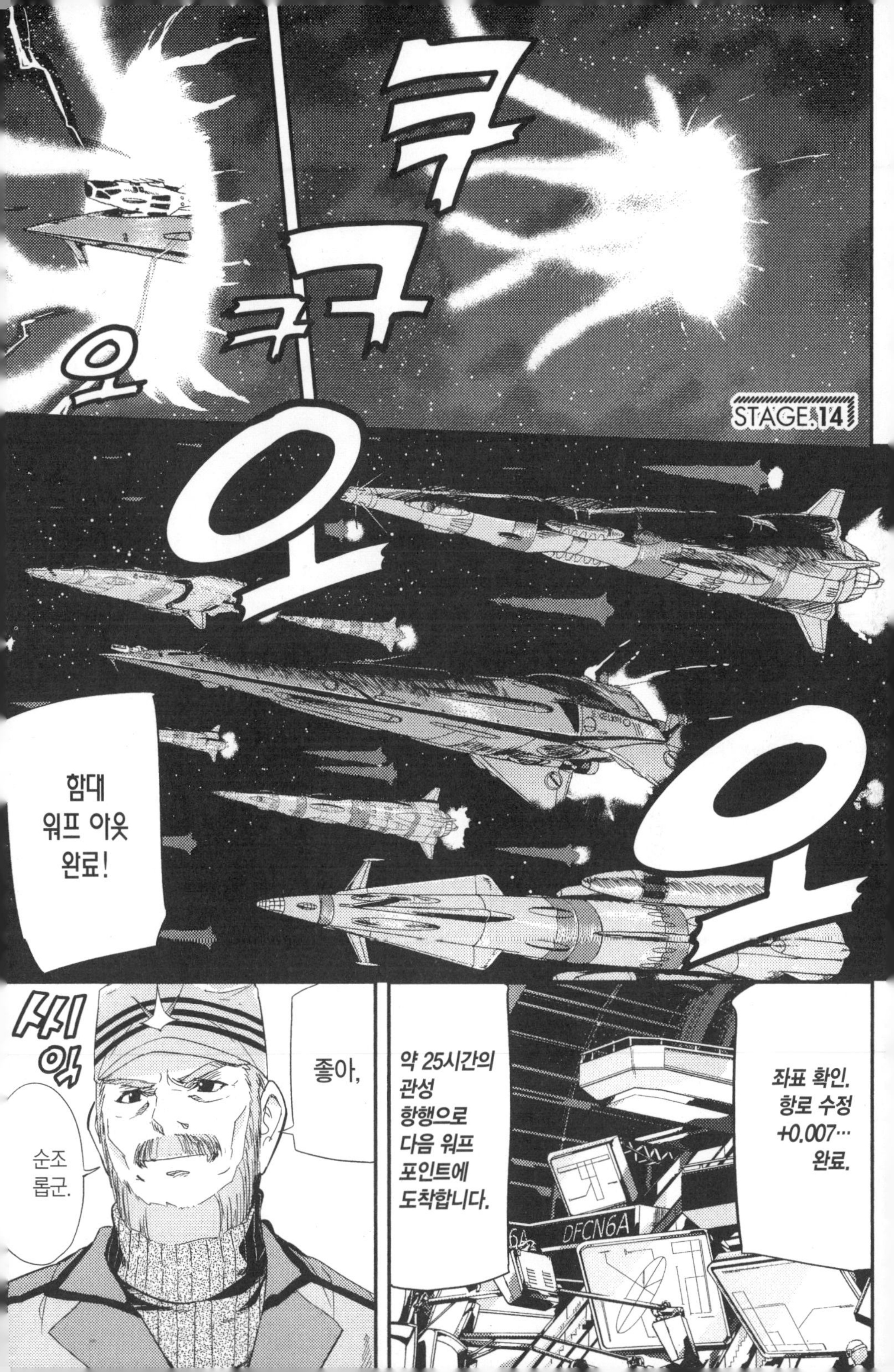

쿠
구
구
오
STAGE.14
오
오
함대 워프 아웃 완료!
쌔액
좋아,
순조롭군.
약 25시간의 관성 항행으로 다음 워프 포인트에 도착합니다.
좌표 확인. 항로 수정 +0.007… 완료.
DFCN6A

STAGE.14

이 아 악
뽀득
후우….
레이저 포
렌즈 닦기라니.
해군에
있을 때가
생각나네.
워프 중에
외출 좀
했기로서니
너무한 거
아니냐고.
….
안 그래?
…언니에게
그런 말을
듣다니….
생각해보면,
내가 언니와
페어라는 것
자체가
애초부터
이상한
일이었어….

그렇지만, 나한테는 언니밖에 없는데….
…….

너 말이다, 그렇게 아래만 바라보지 말고 가끔은 위를 좀 봐봐.
고민하던 일들이 바보처럼 여겨질걸?

위…?

굉장하다….
커다란 가스 성운… 마치 꽃밭을 보는 것 같아….

그러고 보니, 가까이 있는 리프64라는 항성도 태양 모양의 아름다운 별이래.
참 신기하지?

그렇지?
…뭐, 실제로는 그냥 죽은 별들이 모인 거지만.

이 광대한 우주에 그런 건 얼마든지 있어.

…너한텐 말야, 우주에 대한 정서라는 게 없구나.
그런가?

우주를 싫어하는 거야?
내가? 설마!

우주로 나오면 출신성분은 상관없어.
나 같은 놈이라도 뭔가 큰 인물이 될 수가 있거든.

어릴 적, 인류 최초의 초고속 우주선 룩시온의 함장이 된 타카야 제독을 보면서
커다란 용기를 얻게 됐어.
내가 우주에 품고 있는 마음은, 분명 너와 다르지 않을걸?

너도 아버님인 타카야 제독을 동경해서 우주로 왔을 것 아냐?
서로 닮은꼴끼리, 어쩌면 좋은 페어가 될지도 몰라.
자, 다음 렌즈 닦아야지?
……
아빠는 이런 곳에서 지냈었구나….

엑셀리온
함내
식당—

후아
암
카레라이스S
카레라이스M
아침 일찍부터
렌즈 닦느라
잠이 부족해….
언니—!!

나는
너와의
페어를
해산
하겠어.

글썽

이렇게
금방
약한
마음에
지기나
하니까
언니도
난한테
정이
떨어진
거잖아.

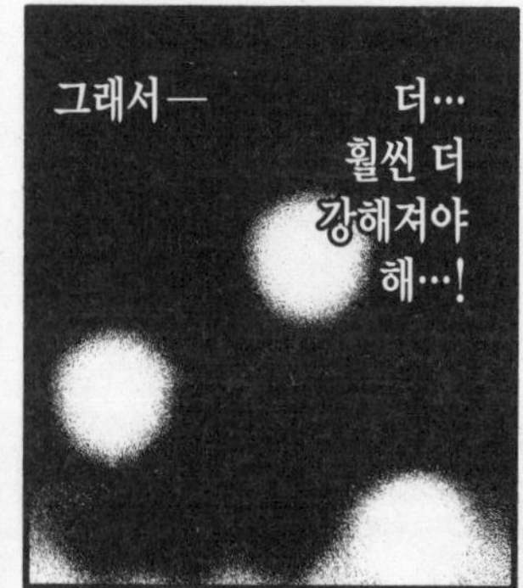
그래서―
더…
훨씬 더
강해져야
해…!

언니한테
다시
인정받는
거야―!!
꽈
악
너 거기서
뭐 하냐…?

…신기
하단
말이지.
와구
와구

하긴 뭐,
건강이
최고니까.
웅!
….

풀이
죽었다는
애가
식욕은
전혀
안 떨어
졌네….

쓸데없는
참견이야….
역시 난
이 사람이 싫어….
하지만,
여기서
잘 해낸다면
언니도 분명….

노—리코.
꼬옹★
아얏!

안녕, 좋은 아침.
융 씨!

히죽
카즈미랑 헤어지자마자 남자를 건지다니,
노리코도 아주 제법이네.

나… 남자…?!
아녜요…! 이건 그런 게 아니라….

아, 카즈미.
!!

두근
두근

아…
인사를 해서
열심히 하는
모습을
보여야…!!
저어…
언니,
안녕히
주무셨—.
욱
아—….
어…?

재가
정말
….

그… 그럼,
나도
이만 갈게.
천천히
먹고 와.

언니….
잠깐,
얘
카즈미
―….

저 사람이
말로만 듣던
언니야?
친해지기
어려운
사람인 것
같네.

부비

…안 질
거야.

와구
와구
와구
빨리
훈련장으로 가서
의욕이
넘친다는 걸
태도로
보여줘야 해…!

벌컥
으읍!

그럴 줄
알았다.

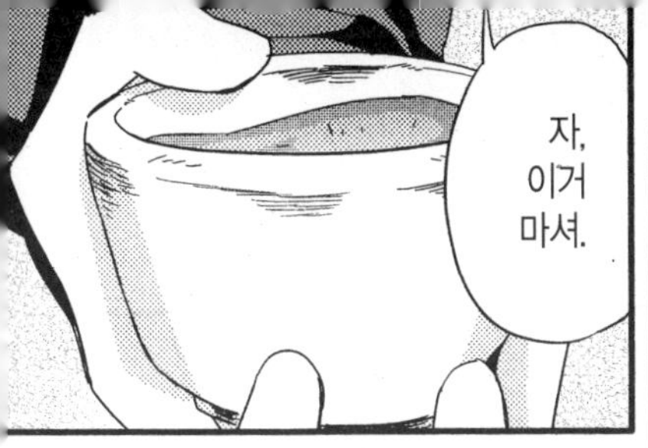
자,
이거
마셔.

서둘지
말고
천천히
먹어.

후우
….

우물
우물

덜커엉

고오오오

오오옹

자,
그럼
오늘의 훈련을
개시하겠다!

우선은 워밍업부터!
준비가 되면 순서대로 출발하도록!
마지막으로 들어온 페어는 걸레질 담당이다!
그럼 시작!!
서로의 팔과 다리를 묶고 제약이 있는 상태로 정해진 코스를 돌아올 것.
자아, 가볼까? 준비는 됐어?
으… 으응.

야,
타카야!
......

베넷!
CAUTION
코스 아웃
가능성
쯧….

중얼…
중얼…
난 할 수
있어….
언니한테
인정
받으려면….

삑 삑
CAUTION
코스 아웃
가능성
너만
앞서가면
밸런스가
무너져서
코스를
벗어나고
말아.
출력을
줄여!

CAUTION
코스 아웃
가능성
어—
야!!
내 말
듣는
거야?!
우와
아아
아악!
쉬
이
익

모의 격투전.
까아악!
앞을 봐—!
콰억
으윽.
모의 우주 괴수전
퍼벅
콰억
…….

뭔가 해주고 싶은 말이 있을 것 아냐?
그런데 왜 말해 주지 않는 건데?

……
모두 저 아이가 스스로 결정한 일이야. 나와는 상관없어.

너 정말…
그만 좀 하지 못해?!

네가 노리코와의 페어를 일방적으로 해산하는 바람에
이런 상황이 벌어진 거잖아!

적들은
벌써
눈앞까지
와 있어!!
노리코가
걱정되지도
않아?!

시끄러우니까,
날 좀
내버려 둬!!
이 이상
쓸데없이
참견하지
말아줬으면
좋겠는데?!!

아아,
그러셔…?
노리코가
어떻게 되든
상관없다
그거지…?
너희 페어가
최대의
라이벌이
될 거라고
생각했지만,
아무래도
내 과대
평가였나
보네.
가자,
린다.

잘 있어,
장미의
여왕님.

…….
노리코―.
우리가 지금
향하고
있는 곳은
전장….
한 걸음만
잘못 디디면
너만이 아니라
파트너,
더 나아가서는
아군 모두가
위기에
처하게 돼.

그 사실을
네가 스스로
깨닫기를
바랐어….
그리고
그 감각을
느끼기
전까지는
전장에
나오지
않기를
말이야….

혼자
남게 된다면,
적어도
다음 전장에는
출동하지 않아도
될지 모르니까.
그 사이에
성장할
수만
있다면…
그런
생각으로
잠시 페어를
해산할
셈이었는데….
…그런데도―.
신경
쓰지 마.
다음에
잘하면 돼.
노리코…
지금
이대로라면
너는―.

EXELION
삐잇—
삐잇—
무슨 일인가?!
진로 전방에서 접근하는 물체 다수!
상대 속도가 무척 빠릅니다!!

저건—?!

크윽….

슈우웅
고오오!!
적 우주 괴수 집단입니다!
약 2만km 거리로 스쳐지나 갔습니다.
애앵 애앵
아마도 척후 부대가 아닐까 싶군요.
진로를 바꿔 데네브 방면으로 향했습니다.
드디어 나타났나.
좋아, 적을 쫒는다!
진로 변경, 0750!!

우선은
항성
리프64의
중력장을
이용해
U턴한다.
전 함대에
전달
하도록!
네!!
뭐지…?!
전원에게
전달,
함장
타시로다.
왜앵
왜앵
왜앵
왜앵
함내 시간
1607에
우리는
적 우주 괴수의
척후 부대와
조우했다.
또한
적 본체는
소행성
AR13 주변에
집결해 있다는
사실을
확인했으며,

이에
함대 사령부는
전력을 다해
적을 섬멸하기로
결정했다.
전투 돌입은
함내 시간
1915가 될
예정이며,
그에 앞서
제1종
전투 배치를
발령한다.
제군들,
이것은
연습도
훈련도
아니다.
이 전투는
엑셀리온 함대의
첫 실전일
뿐만 아니라
인류와
우주 괴수
사이에서
처음으로
치러지는
본격적인
전투가
될 것이다.

모두 이를
명심하도록.
이상!

우주
괴수…
부르르
드디어
실전…!

덜덜
덜덜
부들…

어…
언니에게
좋은 모습을
보여줄
절호의
찬스잖아.
힘내자…!!

위이이잉..

비틀

벌써
실전
이라고
…?
너무
일러―!!

노리코…!!
여어.
긴장
했어?
…별로
….

살금2

뜨윽
으긱!

휙
왝
뭐…
뭐 하는
짓이야?!

웃어
보라구.
이럴
때일수록
말이야.

너야말로
이럴 때
장난
치지 마.
이유도
없는데
어떻게
웃으라는
거야?

이유가
없으면
또 어때?

머신 병기
조종 매뉴얼
불안이나 공포, 압박감에 짓눌릴 것 같을 때는
모양만이라도 깔깔대고 웃어봐.
그것만으로도 은근 마음이 편해진다니까.

웃는 얼굴에는 그런 마법이 있어.

마법은 무슨…
바보도 아니고 ….
머신 병기
조종 매뉴얼

DEFCON3

그럼 오오타, 톱 부대의 지휘는 자네에게 맡기겠네.
네.

함장님, 리프64의 중력권에 들어 섰습니다.
으음.
중력 턴의 항로를 표시 해주게.

00%
Phase:Swing-By Leaf64
돼군—
…응? 이게 리프64가 맞나?!
예, 리프64의 현재 모습 입니다.

뭐라고?
이 보기 흉한 적색 거성이?!

성좌, 절대 좌표로 봤을 때 틀림 없습니다.
은하계 페르세우스 팔의 8번째 가지, 리프64 입니다.

…이럴 수가.

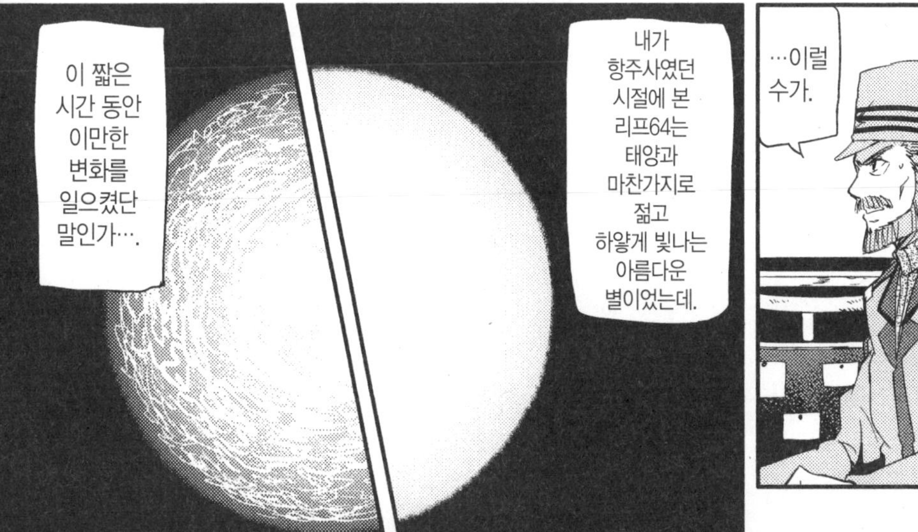
내가 항주사였던 시절에 본 리프64는 태양과 마찬가지로 젊고 하얗게 빛나는 아름다운 별이었는데.
이 짧은 시간 동안 이만한 변화를 일으켰단 말인가….

우주
괴수와의
연관성은?
타닥
타닥
확실히…
일반적인
현상은
아닙니다.
현재로선
뭐라
할 수가….
지금 정보를
수집하고
있으니,
보고서가
완성될 때까지
기다려
주십시오.
DEFCON3
DEFCON3
DEFCON3
으음
….
이제부터
무슨 일이
벌어질지
알 수가
없는 만큼
전 함대에
신중히
중력 턴을
하라고
전달해주게.

고오오오오...

머신 파일럿 제군.
드디어 작전 개시 시간이 다가왔다.
함재기 발진 후, 톱 부대는 적 전방으로 사출될 것이니,

진형 전개 후에 각 팀은 패턴 C를 기본으로 한 페어 단위로 행동하도록.
복귀 시간을 엄수하고 대 우주 괴수용 캘리포늄 핵탄두는 반드시 쓰고 돌아와라.

혹독한 훈련을 견뎌내고 여기까지 잘 와주었다.

너희들의 힘,
마음껏 펼쳐보이고 와라!

엑셀리온 함내 시각
19:15:17

돌격함 타지온, 전투 준비 완료.
이로써 모든 전함의 전투 준비가 완료 되었습니다.

언제든지 가능 합니다.
으음.

후우….

왜애애
전투
개시!
애애
애앵
DEFCON3
쿠하앙
콰바바방
끼유우우우우웅

톱 부대
발진!!

Sys navigater
Hide and Seek
rock over japan
쿠구우웅

슈
파아앙
좋아.
다시 한번 확인할게.
내가 앞으로 가서 우주 괴수에게 돌격,
너는 그걸 보조하는 거야. OK?

……….
여보 세요 ~~.
내 말 들리십 니까—?

어? 아….
으… 으응….

우리가 하는 일은, 어차피 평소처럼 싸우기만 하면 되는 거니까.

너무 힘주지 마.
평소 처럼만 하면 충분해.

나… 난 평소 대로야.

Sub Win
…너라면 할 수 있어.

콰광
아앙
!!

까아아
아악!
쿠
르
르

뭐…
뭐야
…?!

…타지온이
당했어!!
승무원
전원
사망…
격침당한
건가?!

타지온이
격침….
전원
사망
—?!
한 발만
늦었다면
나도—!

펑
무서워….
난 이제….
하지만… 언니…!!
온다!
Sys navigater
Hide and Seek
세 마리가 이쪽으로 오고 있어!!
조심해.
멍하니 있다간 너도 죽는다!
으….
…이렇게 된 이상―!!
끼릭
으아아 아아아 아아!!

어…
야?!
저 바보가!!

어… 얼마든지 덤벼, 우주 괴수!
나는 도망치지도 숨지도 않을 테니까!!
끼에에에
뒤를 조심해!!!

NEXT STAGE

GunBuster

STAGE.15
타카야!
뒤를
조심해!!
!!
덥석

STAGE. 15

으윽!!
으아아아아악!!

우지직
뿌드득 뿌드득
스미스!!
우지직
기… 기다려,
지금 도와주러 갈 테니까!!

미끌
어…?
움찔
움찔
덜덜
덜덜
소…
손에…
힘이
안 들어가
—!!

미…
미안!
지금
갈게!!
그게
아냐!!

타카야!
왜 멍하니
있어?!

위를
봐!

꺄아아
아아아
아아악!

타카야!
괜찮아?!
!!

크윽.
어딜―.

이 자식이!
퍼
욱
끼에에
에에에
에에엑!

덥석
꽉

끼
야야
야야
야
야

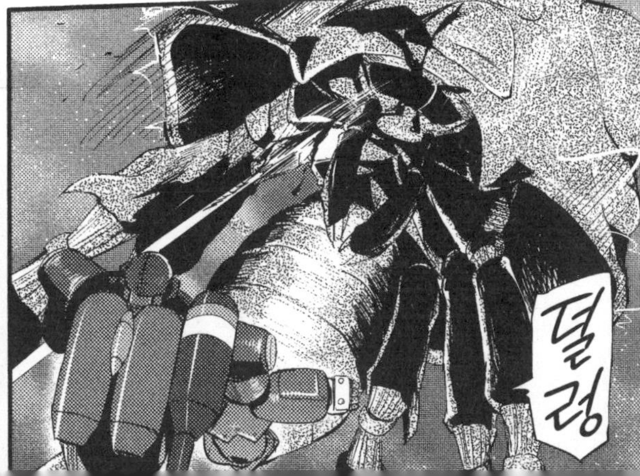
털
썩

한 마리
….
타카야는…?
헉억
헉억

Sub Window
지
지지

젠장!!

끼에에
에엣!!
와

히익….
덥
썩

으으….
—!
너덜
기에에에.

아…!
아으으….
타카야!
으아아아아아!!

갸우웃!
으랴압!!
!!

끼에에
에엑.
타카야,
괜찮아?
머신의
상태는?
으…
으응.
야… 양팔을
모두 당했어….
부스터 출력도
83% 저하….
그래…
도저히
싸울 수
있는
상태가
아니군….
저놈은
내가
쓰러뜨리고
올 테니까,
넌 여기서
얌전히
기다려.
끼이이
이이이
이이잇!!

갸아아
우우우!
크윽
…—!!
부탁한다….
조금만 더…
두근
두근
버텨다오…!!

샤
양
!!
큭—.
삐빅
타카야
쪽에도
적이…!

크어어
어억!
아차—.
콰직
샤아앙

빌어먹을
…!

하지만
무기도
놓쳤고…
이런 부상으로
두 마리나
해치울 수
있을까…?
스멀

위험해….
서두르지
않으면
타카야가
…!!

울컥

커헉

…아니….

무기라면
아직
끝내주는 게
남아있잖아.

두학
기껏 탄두를 가지고 나왔으면서
이놈이 있다는 걸 깜박했네.
그나저나… 손해 보는 역할밖에 안 하는구만, 나는.
하기야, 어쩌겠어?

반한 놈이
지는 거지,
뭐.
!
스미스…?
뭐 하는
거야—?!
타카야,

우웅
잘 있어라.

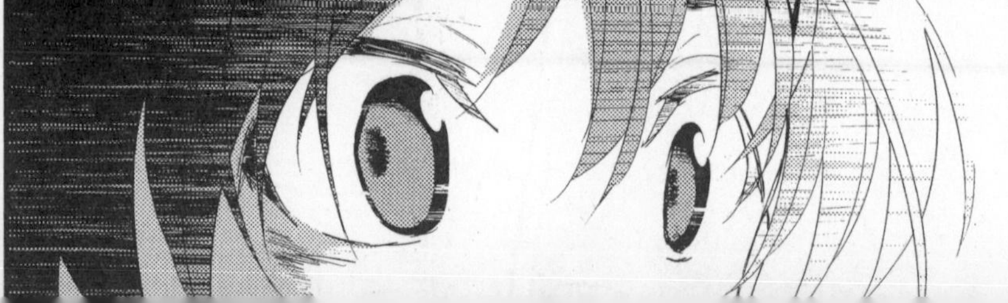

Smith T.
치지지이익
스미…스…?

양동 작전이라고?

DEFCON3

예. 적 세력의 규모와 주력급 괴수의 비율, 그리고 철수 속도로 볼 때
우리를 이곳으로 끌어들이기 위한 양동 작전이거나 위력 정찰이 목적일 것으로 추측됩니다.

... 그래서,

우리 군의 피해 상황은?

격침 중순양함 1척, 경순양함 3척, 대파 경순양함 2척, 중파 경순양함 2척, 소파 중순양함 1척, 경순양함 1척.
전사자 및 행방불명자 612명. 부상자 159명. 톱 부대 50명 중 부상자 9명, 미귀환자 2명입니다.

... 그런가.

우주 괴수에 대한 인식을 개선해야만 하겠군.

—나…
살아서
돌아
왔구나….

노리코…!
노리…
코….
다행이다.
살아
있었구나!

…….

…내가
어떻게 해서
돌아왔더라…?

그 녀석이
마지막으로
했던 말…
'잘 있어라'.

'잘 있어라'라고?
이젠
안 만나겠다는
소리야?
Restaurant
식당
어째서?

내가 제멋대로 말해서?
스미스가 하는 말을 듣지 않아서?

…어쩔 수 없잖아―.

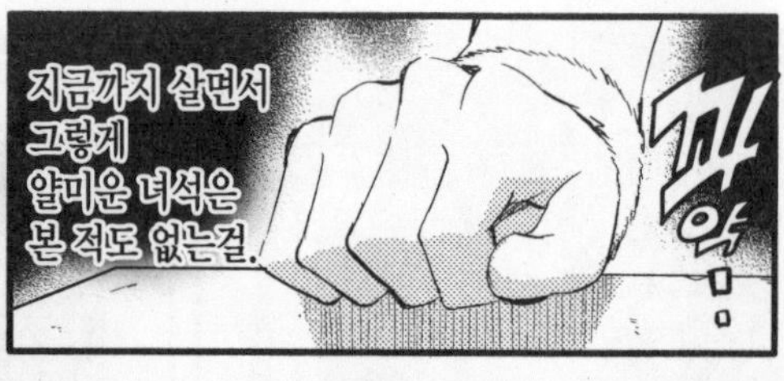
꽈악
지금까지 살면서 그렇게 얄미운 녀석은 본 적도 없는걸.

자판기 코너

쓰레기는 쓰레기통에
무신경 한데다 바보라서 어찌나 얄밉던지….
혼자 있고 싶은데 분위기 파악도 못 하면서 말이나 걸고 말야….

처음 만났을 때부터 그랬어―.

처음
만났을
때부터
어딘가
서툴면서도
다정했었지.

훈련할
때도
출격
전에도…
언제나
나를
먼저
배려해
줬잖아.

나는
그런 것도
깨닫지
못하고….

스미스는
나에게
많은 것을
줬는데….
그런데도
나는…

한마디도….
고맙다는 말조차 하지 못했어….

NEXT STAGE

〈톱을 노려라!〉 디자인 강좌

카토키 하지메 씨가 리파인한【머신 병기 RX-7】이 본작에서 활약 중이지만,
여기에 더해 이번에는 '30식 대 협격(鋏擊) 증가 장갑'(작중에서는 'G형 장비')을 장착하고 등장!
강화 파츠를 장비한 머신 병기의 모습을 주목할 것!!

FRONT

【30식 대 협격 증가 장갑】

ARMORED

→가슴과 어깨 등 머신의 주요 부분에 본체를 보호하기 위한 강화 파츠가 덧대어져 있다. 또한, 실드처럼 우주 괴수의 공격을 방어할 수 있는 아이템도 장비.

BACK

【30식 대 협격 증가 장갑】

ARMORED

→뒤에서 봐 다리가 보강되어 있고 팔 부분에도 강화 파츠 장비되었다는 것을 알 수 있다.

…항상
이런
식이야….

내가
깨닫고
났을 땐
이미 늦은
뒤잖아….
이젠
감사의 말도,
나의 마음도…
전할 수가 없어.

스미스….

….

웃어봐.
그것만으로도
은근 마음이
편해진다니까.
웃는 얼굴에는
그런 마법이
있어.
스미…스….

…또
나를
격려해
주는구나.

고마워,
스미스.

스미스는 아직 살아있어….
내 가슴속에―.

나 힘낼게.
가슴속의 스미스까지
죽게 만들지 않도록.

나도…
소중한 사람을 지키기 위해 싸울 거야.

STAGE. 16

함내 공창,
특무
전용실
입구.
무단 입실
엄금
코치님.
…무슨
일이지?
저는…
한 발도
쏘지
못했습니다.
공포에 질린
나머지
손가락 하나도
움직일 수
없었어요.
스미스는
저 때문에
죽었습니다.
꽈악
저는
아무것도
알지
못했어요.
우주
파일럿의
책임이
얼마나
거대한지를.
스미스는
…
글썽.

그저 아빠와 언니를 동경해서 뒤를 좇기만 했을 뿐,
우주 파일럿이 무엇인지는 생각해보지도 않았었죠….

지금의 저로서는 아무도 구할 수 없습니다.
….

그렇다면 어쩔 거지?
이대로 여기서 포기할 테냐?

아니요.

저는 도망치지 않을 거예요.
스미스를 죽게 만든 책임에서.

스미스가 구해준 이 목숨은
조금이라도 더 많은 사람들을 구하는 데 사용하겠어요.

아빠가
죽었을 때
코치님이
느꼈을
기분,
지금이라면
저도
알 것 같습니다.

코치님.
저는
강해지겠
습니다.

그 누구에게도
지지 않는
힘을
손에 넣고
이번에야말로
소중한
사람들을
모두 지킬 수
있도록.
그 어떤 힘든
훈련이라도
참고 견뎌
보이겠어요!
그러
니까

저를 다시
단련시켜
주세요!
부탁
드립니다!!
코치님.

….
…에 의해…
중력 붕괴를 일으킨 항성이 초신성 폭발할 당시 방출된 감마선 수치의 시계열 변이,
관측 중력파, 적방편이치 등으로 볼 때
적 우주 괴수는 아마도 은하계 중심에서 온 것이라 생각됩니다.
놈들은 젊은 항성을 발견하면
그곳에 알을 낳으면서 세력을 확대하고 있습니다.
그렇지만 행동 원리나 우리에 대한 전술 등에서 비추어볼 때
놈들의 목적은 태양이 아닌 지구, 즉 우리 인류의 섬멸일 것으로 여겨집니다.
뭐, 가감 없이 말하자면
생명으로서의 본능이라고 할 수 있겠죠.
말도 안 돼….

그런가요?

다른 환상을
품었다는
이유만으로
상대를
철저하게
박살냈던
우리 인류와
대조해보면
동기는 간단히
이해될 거라
생각됩니다만….

으음
….

이 추론을
바탕으로
대처 방법을
재검토해
봐야겠군요.
저는
항해를
마치고
일단 지구로
귀환할 것을
제안합니다.

으음.

부장의
제안에
이의 있는
사람
있습니까?
이의
없음.
이의
없음.

엑셀리온
제7거주구
그린
데이블루
버드
Cafe
Cupajoe

어쩐지 요새
노리코가 좀 이상하지 않아?
그야…
그런 일이 있었던 직후니까 ….
실의에 빠지는 것도 당연하지 않겠어?
아니— 그것뿐만이 아니라.
요 며칠간 방을 비우고 줄곧 나가 있잖아.
지금은 휴가 중이라 훈련도 없고, 그렇다고 해서 어디 나가 노는 것 같지도 않은데 말야….
혹시 어쩌면 …

어디 숨어서 폭식으로 스트레스를 푸는 걸지도 몰라.
…!
….
그게 뭐 어때서?
뭐 어때서라니? 다이어트는 전사에게 있어 목숨이 달린 문제란 말야!
바보 같은 소리 말고 진지하게 생각 좀 해봐.
달그락
….

스윽

…뭐, 농담은 여기까지만 하고.

노리코가
이상한
마음먹지
않도록
주의만큼은
기울이는 게
좋겠어.
기껏
살아서
돌아
왔으니까.

그래….

즈
웅
집중해,
타카야!
훈련에서
이 정도도
못 하면
어쩌자는
거야?
네… 네에.
죄송합니다,
코치님!
자신을
구하고
동료들을
지키고
싶다면
그만큼
노력을
하는
수밖에
없다.

너의
근성을
보여줘 봐!
넷!

큭ㅡ!

아빠…
스미스ㅡ.

나는
두 번이나
소중한
사람을
우주
괴수에게
잃었다.

이제
더 이상은
단 한 사람도
빼앗기지
않겠어.

절대로
….

누가
그렇게
놔둘 줄
알고—?!
저벅

….

다 마쳤습니다, 코치님.

…좋아.

그럼 마지막으로 패턴A부터 F까지 30회 반복이다.
나는 먼저 들어가마.
넷.

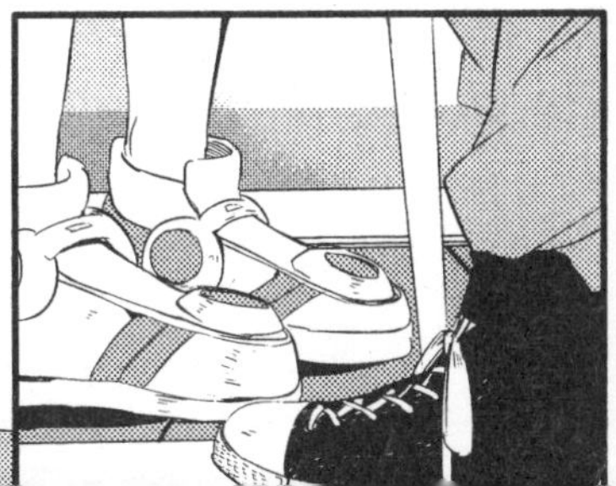

코치님.

…
도대체
뭘 어쩌시려는 거죠?

…봤으면서 뭘 묻나?
타카야를 훈련시키고 있다.
애액
저는 그 이유를 묻고 있는 겁니다!
이제 충분하잖아요!
지금까지 억지로 끌고 온 결과로
룩시온 사건이나
이번과 같은 비극이 벌어졌잖습니까!

노리코는
이미 한계를
넘어섰어요.
지금은
쉬게 해주지
않으면
정말로
무너지게
될 겁니다.
….

아마노…

우리
에게는
시간이
없다.
이러고 있는
동안에도
시시각각
놈들의 위협이
육박하고 있어.
만약
지금 당장
적의
총공세가
시작된다면
우리는
파멸을
피하지
못해.
하지만
―.
그러나
아직
우리에겐
희망이
있다.
타카야와―

건버스터의
준비만
된다면.

건…
버스터…?

그래.
내가
극비리에
개발을
추진하고
있는
초거대
머신 병기.
무단 입실
엄금

건버스터의
설계 사상은
지금까지의
머신 병기와는
그 궤를
달리 한다.
최대의 특징은
파일럿의
능력에 따라
무한대의 힘을
발휘할 수
있다는 것.

건버스터만 완성된다면 인류에게 패배는 없다.
….
그래서 코치님은
그 건버스터의 파일럿으로 노리코를 선택하셨다는 건가요?
그렇다.
….
그리고
아마노,
너도 함께 타줘야겠어.

저도….

건버스터의 진정한 힘을 발휘하려면 두 명의 파일럿이 필요해.
이건 마음이 통하는 일심동체의 페어가 아니면 불가능하다.

서로의 부족한 부분을 보완해야만 몇 배나 되는 힘을 발휘할 수가 있지.
너희야말로 건버스터의 파일럿에 어울리는 페어야.

아마노.
타카야와 함께 싸워다오.

….
그렇게 뭐든지 다 멋대로 결정하시는 군요….

노리코에게 휴식을 주겠다고 한다면 생각해보겠 습니다만….
그럴 수는 없다.
….
하지만 거절 하겠습니다.
알겠습니다.
…그런… 가요.
이만 실례하겠 습니다.
읏

한 번 엎질러진 물은
다시 주워 담을 수 없어요.

코치님.

별것
아니야.
물을
엎질렀을 땐
다시 뜨면
그만이다.
아마노….

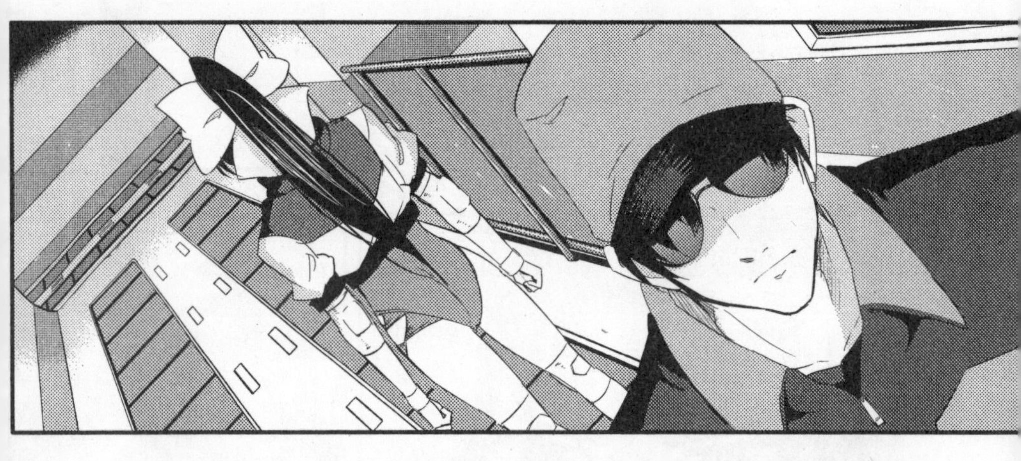

엑셀리온
초고속
워프 중.

Fig. 12.

콜록

콜록

철퍽

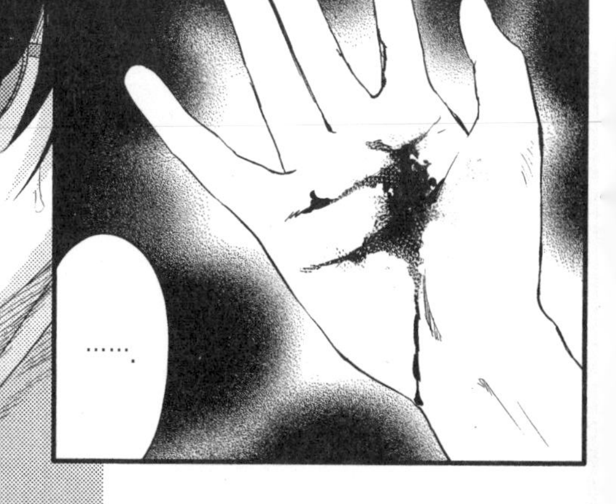
…….

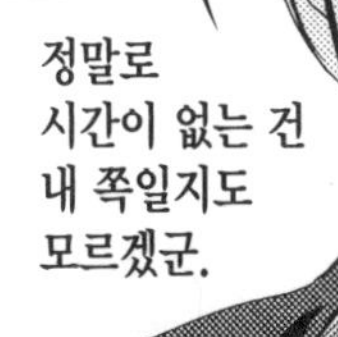
정말로
시간이 없는 건
내 쪽일지도
모르겠군.

진단서
1. 입원 권고
좌완 제3관절
리어 브레이크의 열화
그렇다 해도—
여기서 쓰러질 수야 없지.
스윽

함장님.
응?
드시죠.
아아, 고맙네.

ARP CRUISE
워프 아웃까지 앞으로 10분.

이제 곧 태양계로군요.
으음.

적이 추적할 수 없도록 레이더를 사용하지 않고 아공간으로 직접 귀환.
어찌어찌 잘 풀릴 것 같습니다.

후릅!
그렇다면 좋겠지만….

무슨 신경 쓰이는 점이라도 있으신가요?
….

자네는 우주 괴수와 룩시온이 마주친 이유를 어떻게 생각하나?

이유요? 그냥 우연인 건….
과연 그럴까?

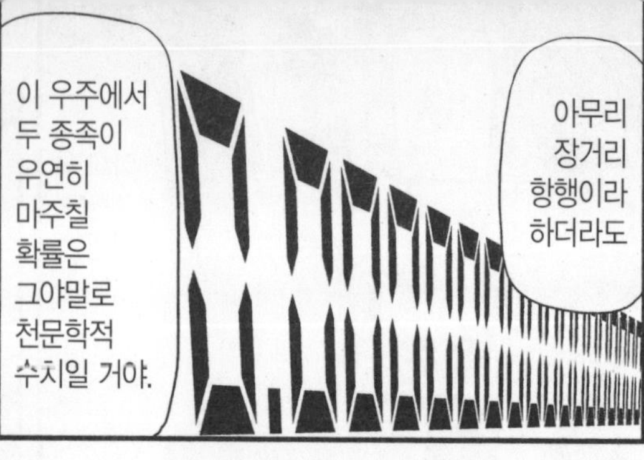
아무리 장거리 항행이라 하더라도
이 우주에서 두 종족이 우연히 마주칠 확률은 그야말로 천문학적 수치일 거야.

그리고 이번 전투에서도, 압도적으로 우위에 있던 놈들이 총력전을 시도하지 않았던 이유.
여기에 이번 가설을 넣어서 생각 해보면,

어떤 방법인지는 모르겠지만, 저쪽이 룩시온의 항로를 알아냈다는 말씀이신가요 …?

지구로 귀환하는 우리를 따라오기 위해
일부러 섬멸하지 않았다고 여겨지지는 않나?

…서,
설마! 있을 수 없는 일입니다! 애초에

아공간에서는 레이더도 사용할 수 없는데 어떻게 해서 추격한다는 말씀입니까?
…으음.

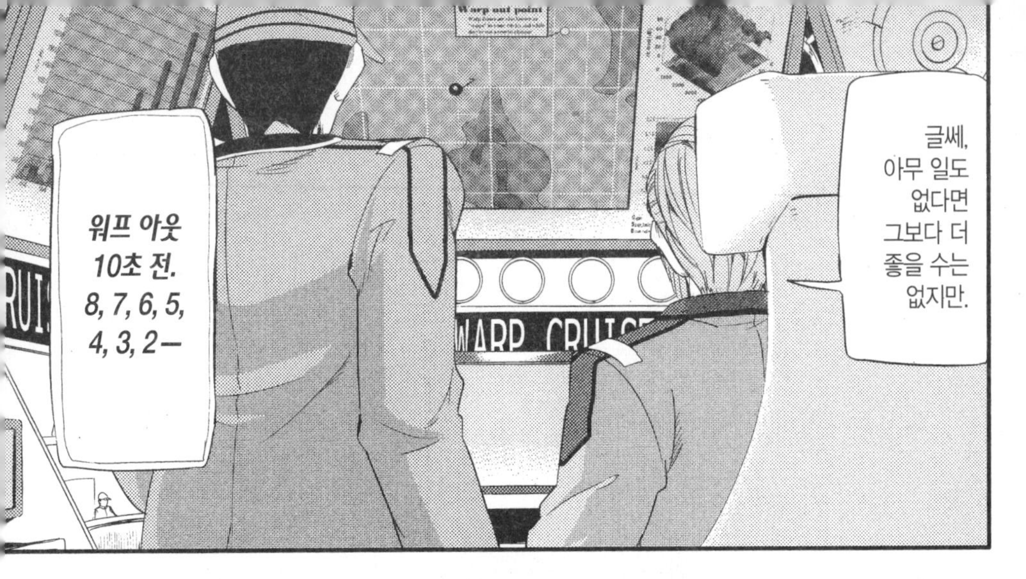
Warp out point
글쎄, 아무 일도 없다면 그보다 더 좋을 수는 없지만.
워프 아웃 10초 전. 8, 7, 6, 5, 4, 3, 2—

구오오오

워프 아웃 완료.
다른 함들도 속속 워프 아웃 중.

Warp Out
WARP OUT
워프 성공입니다!

그런가….
…다행이군.
후우

윽….
크윽!

좌현
제8블록에
피격!!
무슨
일인가
?!
저…
적의
공격
입니다!!
믿을 수가
없어….
워프 아웃해 온
전함들
대부분이—

적입니다!
EXELION

끼유용
이…
이럴
수가….
가장
우려하던
일이….
쾅
아군 전함은
12척을
남기고
모두 괴멸한
것으로
보입니다.
하,
함장님.
어떻게
할까요
…?
이렇게
된 이상,
싸울
수밖에
없겠지.

전 기체
출격이다!!

톱 부대,
급속
발진.
전 기체,
G형 장비로
출격하라!!

응…?

왜 그래?
뭘
꾸물거리고
있나?

그게…
제 머신의
정비가
아직 끝나지
않아서….

다른 기체보다 손상이 심해서 뒤로 미뤄뒀던 모양이에요.
예비 기체도 모두 출동한 것 같고.
그런가 ….
….
알겠다.
타카야는 함내에서 대기하고
다른 대원들은 모두 나가서 적을 요격하도록.
NEXT STAGE

타카야는
함내에서
대기하고
다른 대원들은
모두 나가서
적을
요격하도록.
자…
STAGE.17

잠시만요…
코치님!!
저도
싸우겠습니다.

지금까지 해온
훈련의 성과를
시험하게
해주세요.
….
지금 네가
그 머신을 타고
나가봤자
개죽음밖에
되지 않는다.

너는 다른 임무를 맡아 줘야겠어.
그때까지는 방에서 대기다.
그렇지만 ㅡ
타카야.
지금은 너와 말싸움할 시간이 없다.
이건 명령이야.
…네….
…나는 급한 용무가 있으니,
지휘는 맡기겠다.
넷.

STAGE.17

머신 병기의
G형 장비는
방어력 향상을
위해
크루프
강성의
특수 장갑을
사용했다.
머신의
움직임에
세심한 주의를
기울이면서
전투에
임하도록!
다만
그런 만큼
10% 정도
기동력이
저하됐으니
쿠우우우웅
쉬익
쐐애앵

톱 부대 및
코스모
어태커
발진 완료.

네.
놈들
상황은
어떤가?
선원들은
A급
손상 블록의
응급처치를
서두르도록.
각 기,
전투
배치
완료까지
앞으로
1분.
EFCON3
다른 함들은
본 함대를
평행으로
포위하면서
서서히 범위를
좁히고 있습니다.
적의 주력이라
여겨지는 물체는
고속의 약 10%로
불규칙 궤도를
그리며 이동 중.
좋아….
모두
배치 완료
했습니다.
그렇
습니다.
흐음…
예상
대로군.
웨이이 잉
전방위
뇌격전
준비.
목표는
적 대형
우주 괴수.

발사!

세상에… 광자 어뢰가….
전혀 통하지 않는 건가….

콰앙
콰앙
폭연
속에서
적 부대
다수
출현!!
응전
준비.
전 포문의
조준
세팅하라!!
톱 부대,
적 선두
집단과
접촉합니다!!
발사―!!

부우웅
착
치잉
번쩍

하아아아앗!!
숫자가 너무 많아….
윱! 다른 놈이 오고 있어!!

파
드득
크윽…!
이런 실수를!!
융!!
린다…!
지금 구해줄게!

콱
뿌
쿠
콰
케에에에에엑
린다! 앞을 봐!!
뭐—?
!!

…어…?
Sys navigaier
Hide and Seek
ikarechimattaze
rock over japan
SAR off
SVS on
Sign :Linda
Status:Lost
Linda
거짓…
말이지…?

린다
아아
아아
아아!!

제3캐터펄트
방면
톱 부대의
손해가 극심.
2, 19,
37팀은
곧바로
지원에
나서라!!
삐걱
삐걱
…나는.

나는
왜 이렇게
무력하기만
한 걸까―.

나 때문에
스미스가
죽은 것도
모자라,
아빠를
죽인
놈들에게
한 방도
갚아주지
못하다니.

톱 부대와
엑셀리온의
승무원들
모두가
있는 힘껏
싸우고
있는데
나 혼자만
방에서
벌벌 떨고
있잖아.

언니와
친구들을
그저 잠자코
지켜보기만
할 수밖에
없는 거야―?

타카야,
잘 있어라.

그런 건
싫어!
스미스에게
맹세했잖아.
이젠 아무도
죽게 하지
않겠다고.
톱 부대의
일원으로서,
우주
파일럿
으로서,
엑셀리온
함대의
선원
으로서,
우주
괴수와
싸우는
인류로서,
지구에서
태어난
사람으로서,
그리고
나 자신
으로서도

지금—
온 힘을
다해,
할 수 있는
일을
하겠어!!!

다다
다다

코치님!!
벌컥

저도 출격하게 해주세요!!
방관하고 있을 수만은 없습니다!
부탁 드립니다!
더 이상 소중한 사람들이 상처 입는 모습을
아빠와 스미스를 우주 괴수에게 잃었어요.
그 과거를 되돌릴 수는 없겠지만,
코치님이 가르쳐 주셨잖아요.
미래는 우리의 손으로 만들 수 있다고.

스미스가 구해준 이 목숨은
미래로 향하는 희망의 빛을 잇기 위해 쓰겠어요.
저의 과거를 속죄하기 위해서도
모두와 함께 싸우고 싶어요!!
—그러니까!
부탁드립니다, 코치님!
저에게
힘을 주세요!!!

싸워라!!
척
억
이걸
받아라,
타카야.
착
악
지금까지
해왔던
훈련,
그리고
현재의
그 마음이
있다면
우주 괴수
따위에게
지지 않아.

인류의 희망이 네 손에 달려있다.
넷!!!!

콰앙

함수 대파!!
레이더 기능 완전히 다운!
!!
크윽… 여기 까진가….
함장님!
Warning : 7th hatch has opened
제7해치가 열리고 있습니다!!
뭐라고?!

우우
웅
현재
상태로는
10분이
한계다,
타카야.
지금까지의 훈련은
모두,
이 10분을
위한 것이었다고
생각해라.
쿠
오
피라미들에게는
눈길도 돌리지 마.
목표는
적의 주력뿐이다!
네!

건버스터

지금
출격하겠
습니다!!
NEXT STAGE

GunBuster

고오오오
오오오오
STAGE.18
우주 괴수…
더 이상 멋대로 날뛰게 두진 않겠어.

다들 기다려. 지금 갈게!

큭….
카즈미!
이쪽으로도
오고 있어!!

콰
쿠두
고오오오
퍼엉
오
크윽…!
여기까진가—!
—읏!

언니!!
제게
맡겨주세요!
건버스터!!
저 아이가?!
노리코?!

버스터 어어어 어어—
비이이이이임!!!

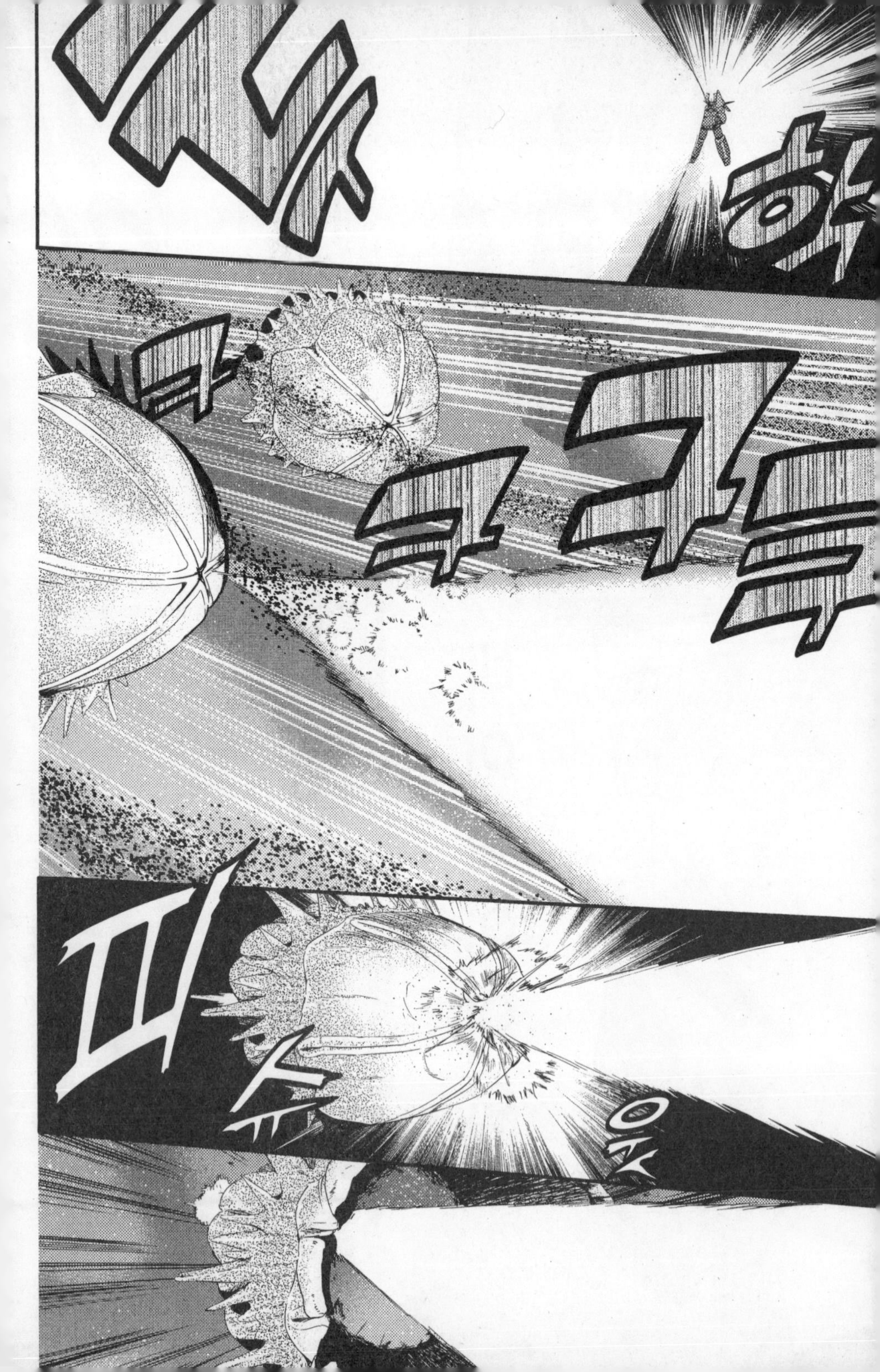

우와아
아아!!

어마어마한 힘이군….
저… 적의 98%가 소멸!!
남은 것은 일부 부대와 적 주력뿐입니다!
…….
이제 부터가 중요 하다…!
노리코….
정말로 네가 조종하고 있었구나….
너 혼자서 정말 괜찮겠어?

네, 괜찮아요.
…너 또 지난번과 똑같이ㅡ….
번쩍
와요!
고오오오오

까아아
아악!
휘릭

움직임이…
너무
빨라서…
조준을…!
파슈우우우우
지금
이다!
큐웅

해치웠나
…?!

노리코?!
크으윽!
버…
버스터 빔이
안 통하다니….
Time Limit
00:02:03.73

시간이
얼마
없어!
이렇게
된 이상…

직접…
때려부술
수밖에—!!

이너셜
캔슬러
(관성 중화
기능)
전개
!!
?!!
설마,
저 아이!!
쿠오오오
노리코!
무모한 짓
하지 마!!
노리코--!!!

즈
콰지
지

나…
나는…
이 목숨과
맞바꿔서
라도
소중한
사람들을
지키겠어…!
나는—
과
앙

우주
파일럿이다
아아아아
아아!!!

으아아
아아아
아아아
아아!!

받아라아아아아앗!!

노리코!!!
■TO BE CONTINUED...■

작가후기
Kabo Wabo!
드디어
건버스터의
등장!
빠
바암
캐릭터의
마음에
지지 않도록
저도 기합을
있는 힘껏 넣고
열심히
했습니다.
버니이잉!

뭐,
옆에서
보면
이런 느낌
이지만요.
아…
레이어
착각
했다.
헤억
헤억!
The 평범

작화 면에서는
다음 권의
장면도
하이라이트 중
하나이니만큼,
지금부터
단련해
둬야겠죠!!
영화를
보면서
연출을
공부
하거나
오직 거북!
그것이 숙명이다.
터들
온리
운동으로
체력을
기르기도
하면서
게임을
통해
이펙트를
참고하거나

스페셜
땡스
키우치 씨
사토 점장님
카토키 하지메 님
요시키 씨
요시무라 씨s
하야마 군
그럼
4권에서
다시
만나요!

톱을 노려라! 3

2024년 4월 23일 초판 인쇄 2024년 4월 30일 초판 발행

만화_ Kabotya **원작_** GAINAX

번 역_ 허윤 **발행인_** 황민호 **콘텐츠1사업본부장_** 이봉석
책임편집_ 장숙희/윤찬영/전송이/조동빈/옥지원/이채은/김정택

발행처_ 대원씨아이 **주소_** 서울특별시 용산구 한강대로 15길 9-12
전화_ 2071-2000 **FAX_** 797-1023 **등록번호_** 1992년 5월 11일 등록 제 1992-000026호

ISBN 979-11-7203-071-1 07830 ISBN 979-11-7203-068-1(세트)

TOP O NERAE! Vol.3